Le rap P[oké]

Je sais que je peux être le meilleur sur Terre
Tous les autres dresseurs peuvent faire leur prière
Je les attraperai, oui, oui, je le ferai!
Pokémon, je suivrai le chemin
Tout votre pouvoir
Est entre mes mains
Grâce à tous mes efforts
Il me faut tous, tous, tous, les attraper
Il me faut tous, tous, tous, les attraper
J'en aurai plus de 150 à reconnaître
Et de tous ces Pokémon je deviendrai le maître
Je veux vraiment tous les attraper
Attraper tous les Pokémon
Je veux vraiment tous les attraper
Attraper tous les Pokémon

Peux-tu nommer les 150 Pokémon?

**Voici les 32 suivants.
Tu trouveras dans le livre nº 12
Scyther, cœur de Champion
la suite du rap Poké.**

Zubat, Primeape, Meowth, Onix,
Geodude, Rapidash, Magneton, Snorlax,
Gengar, Tangela, Goldeen, Spearow,
Weezing, Seel, Gyarados, Slowbro.

Kabuto, Persian, Paras, Horsea,
Raticate, Magnemite, Kadabra, Weepinbell,
Ditto, Cloyster, Caterpie, Sandshrew,
Bulbasaur, Charmander, Golem, Pikachu.

Paroles et musique de la chanson originale :
Tamara Loeffler et John Siegler
© Tous droits réservés, 1999 Pikachu Music (BMI)
Droits internationaux de Pikachu Music administrés par Cherry River Music Co. (BMI)
Tous droits réservés   Utilisés avec permission

Il y a d'autres romans jeunesse
sur les Pokémon.

Collectionne-les tous!

Et bientôt...

Les quatre étoiles

Adaptation : Howard Dewin
Texte français : Le Groupe Syntagme inc.

Les éditions Scholastic

Pour toute information concernant les droits, s'adresser à Scholastic Inc., 557 Broadway, New York, NY 10012.

© 1995-2001 Nintendo, CREATURES, GAME FREAK.
TM et ® sont des marques de commerce de Nintendo.
TM & ® are trademarks of Nintendo.
© 2001 Nintendo.
Copyright © Éditions Scholastic, 2001, pour le texte français.
Tous droits réservés.

ISBN-10 0-7791-1529-5
ISBN-13 978-0-7791-1529-7

Titre original : Pokémon — The Four-Star Challenge.

Édition publiée par les Éditions Scholastic, 604, rue King Ouest, Toronto (Ontario) M5V 1E1 CANADA.

6 5 4 3 2   Imprimé au Canada   09 10 11 12 13

POKÉMON

Les quatre étoiles

Pleins gaz!

— Vas-y, Lapras! ordonne Ash Ketchum à
son Pokémon d'eau. La grosse créature bleue
fend les vagues de l'océan qui entoure
l'archipel Orange.

Ash et ses amis sont installés sur le dos
rond et robuste de Lapras. Misty, son amie
de toujours, tient dans ses bras son bébé
Pokémon, Togepi. Son nouvel ami, Tracey,
dessine dans un cahier. Pikachu, le Pokémon
électrique de Ash, sourit et profite de la
promenade.

— Je crois que Lapras s'amuse! fait
remarquer Misty. Le vent marin joue dans ses

cheveux orangés. Elle serre affectueusement Togepi contre elle.

— Je suis bien placée pour le savoir! C'est un Pokémon d'eau, après tout.

Misty adore les Pokémon d'eau. Même Ash doit admettre que son amie en sait plus sur eux que n'importe qui.

— Il faudrait être fou pour ne pas apprécier cet instant! réplique Ash en laissant la douce brise tropicale lui caresser le visage. Être un entraîneur de Pokémon, c'est tout de même fantastique!

Quelquefois, il a du mal à croire tout le chemin qu'il a parcouru depuis son dixième anniversaire. C'est à ce moment qu'il a quitté son village, Pallet, et qu'il est devenu entraîneur de Pokémon. Il a rencontré bien des gens et a vécu de nombreuses aventures. Mais, ce qui lui importe le plus, c'est d'avoir capturé beaucoup de Pokémon depuis ce temps.

— *Pika-a-a-a!*

Le cri de Pikachu tire brutalement Ash de sa rêverie. Le petit Pokémon jaune vole dans les airs, déstabilisé par une vague plus grosse que les autres. Ash s'élance pour intercepter Pikachu tout en se retenant à Lapras avec ses jambes. Il rattrape Pikachu juste avant que celui-ci ne tombe à l'eau.

— Ouf! s'exclame-t-il.

— *Pika*, approuve Pikachu, les yeux encore agrandis par la surprise.

— Nous ne sommes pas pressés, Lapras. Tu n'as pas besoin d'aller si vite, dit Misty.

— Tu as bien raison, approuve Ash. Mais tout de même, j'aimerais bien trouver quelque chose à me mettre sous la dent.

— J'ai un petit creux, moi aussi, convient Misty.

— *Pikachu*! ajoute Pikachu.

— Eh bien, nous ne sommes pas très loin de l'île de Mikan, intervient Tracey, l'observateur de Pokémon. Je suis certain que nous pourrons trouver de quoi manger là-bas.

Et il y a un gymnase de la Ligue Orange sur l'île.

— Un gym de la Ligue Orange? s'exclame Ash, qui a soudainement oublié sa faim.

Il est venu dans l'archipel Orange en mission pour son mentor, le Professeur Oak, le célèbre expert en Pokémon. Le professeur voulait que Ash, Misty et leur ami Brock aillent chercher pour lui une mystérieuse Poké Ball appelée la GS Ball auprès de sa vieille amie, le Professeur Ivy.

Ash a ramené la GS Ball, mais il a perdu un ami. En effet, Brock a décidé de rester avec le Professeur Ivy pour l'aider.

Ash s'ennuie de Brock, mais il a vite trouvé un nouvel ami, Tracey, et un nouveau Pokémon, Lapras. Puis, il a entendu parler de la Ligue Orange.

— Je crois que ça y est, n'est-ce pas, Ash? rigole Misty en le poussant du coude. C'est le début d'un tout nouveau défi!

Ash sait qu'elle le taquine, mais il s'en fiche. Il n'a pas trop mal réussi dans la Ligue des Pokémon, chez lui. Il a très hâte de gagner les quatre écussons de la Ligue Orange – les quatre étoiles – et de participer au tournoi de cette ligue pour remporter le trophée du championnat. Misty peut bien se moquer autant qu'elle le veut!

— Tu verras bien ce dont je suis capable! Je vais devenir le meilleur entraîneur de Pokémon de tout l'archipel Orange! réplique Ash.

— *Pika pika*! approuve Pikachu.

— Tu vois? Pikachu sait que j'ai raison! ajoute Ash. Nous allons lancer un défi à tous les chefs de gym des îles!

Misty éclate de rire et hoche la tête.

— C'est triste de voir que tu n'as pas confiance en toi, Ash Ketchum, ironise-t-elle.

Ash fait un sourire à Pikachu. Pourquoi n'aurait-il pas confiance en lui? Pikachu et lui forment une bien chouette équipe.

— Pleins gaz! s'écrie Tracey. Prochaine étape, l'île de Mikan!

Le défi des Pokémon d'eau

— Regardez! s'écrie Ash, on y est!

— L'île de Mikan, ajoute Tracey.

Une fois sur la plage de sable blanc, Ash
et ses amis descendent du dos de Lapras. Ils
sont arrivés à une île tropicale luxuriante que
Ash a très hâte d'explorer.

— Bon travail, Lapras, dit Ash. Hop! Dans
la balle!

Il sort une Poké Ball et, dans un éclair de
lumière, Lapras disparaît dans la petite balle
rouge et blanc. Ash l'accroche bien à sa
ceinture avec ses autres Poké Balls. Seul
Pikachu n'entre jamais dans sa Poké Ball
parce qu'il a horreur d'y être enfermé.

— On dit que le chef de gym de l'île Mikan est l'un des entraîneurs de l'équipe Orange les plus difficiles à battre, déclare Tracey, qui commence un nouveau dessin.

— Parfait! s'exclame Ash. Un combat avec l'un des meilleurs entraîneurs de la Ligue Orange! Maintenant, j'ai vraiment hâte! Allez, dépêchez-vous!

— Personne n'apprécie un combat de Pokémon plus que Ash, fait remarquer Misty, en courant pour les rattraper.

— *Kachu!* Pikachu marche derrière Ash, tout heureux. Il lui tarde de l'aider à gagner son premier écusson de l'archipel Orange.

Les amis marchent dans la jungle jusqu'à ce qu'un bâtiment au toit rouge se profile entre les arbres.

— Nous y sommes! annonce Tracey.

— Super! s'écrie Ash en pressant le pas.

Soudain, un jeune garçon sort de derrière un arbre.

— Que faites-vous ici? demande-t-il d'un ton méfiant.

— Je suis un entraîneur de Pokémon, explique Ash. Je veux faire un combat dans un gymnase.

Le garçon ricane.

— Tu n'as pas l'air d'un entraîneur de Pokémon.

— Ah non? réplique Ash, piqué au vif. J'étais assez bon pour compétitionner dans la Ligue Indigo.

— Ha! Ha! Ça ne veut pas dire que tu es de taille pour la Ligue Orange!

— Es-tu encore en train de t'attirer des ennuis? demande une voix de femme derrière le garçon.

Ash, Misty et Tracey voient apparaître une grande jeune femme.

— Non, proteste le garçon. J'ai juste surpris ce gars en train de fouiner...

— Je n'étais pas en train de fouiner, rage Ash. Je viens pour lancer un défi au chef de gym!

— C'est vrai, ça? demande la femme. Elle fait un sourire à Ash. Eh bien, c'est moi la chef de gym de Mikan, et j'accepte ton défi.

Ash sursaute. Pikachu écarquille les yeux.

— Je me présente : Cissy, et voici mon petit frère, dit-elle. Comme tu as l'air d'aimer faire des vagues, nous allons prendre les Pokémon d'eau. Elle se dirige vers le gymnase.

— Hé! Pourquoi dis-tu que j'aime faire des
vagues? s'écrie Ash tout en courant pour la
rattraper.

Ash trouve l'intérieur du gymnase immense
et vide.

— D'accord, dit-il. Combien de Pokémon
veux-tu utiliser?

— Ce n'est pas comme ça que nous
fonctionnons ici, lui explique Cissy. Dans les
gymnases de l'archipel Orange, nous ne nous
bornons pas à faire combattre nos Pokémon.

— Que veux-tu dire? demande Ash.

— Tu vas voir, réplique Cissy. Le combat sera divisé en deux défis.

Elle se tourne vers son petit frère.

— Vas-y! ordonne-t-elle.

— D'accord! répond le garçon. Il enfonce des boutons de la télécommande qu'il tient à la main.

Soudain, tout se met à bouger. Sur les murs, des panneaux glissent, et Ash voit apparaître une série de vieilles boîtes de conserve bien alignées. Puis, une partie du plancher se met à bouger aussi.

— Hé! s'exclame Misty.

Les panneaux du plancher, en se déplaçant, révèlent une grande piscine au centre du gymnase.

— Wow! s'exclame Ash. Il est impressionné, mais essaie de ne pas le laisser voir. Et à quoi servent les boîtes de conserve?

Cissy ne répond pas. Elle a déjà une Poké Ball dans la main. Elle la lance en hurlant : Seadra! Je te choisis!

De la balle sort un Pokémon bleu qui ressemble à un hippocampe. Sa queue est enroulée et sa bouche ressemble à un tuyau. Il plonge dans la piscine.

— Qu'est-ce que c'est? demande Ash à voix basse.

Il prend son Pokédex, un appareil portatif contenant des tonnes de renseignements sur les Pokémon.

« Seadra, dit la voix électronique du Pokédex, Pokémon dragon. Forme évoluée de Horsea. Reconnu pour son caractère exécrable, mais possède force et vitesse. »

— Nous allons commencer par une épreuve de jets d'eau, annonce Cissy. Choisis ton Pokémon qui a la meilleure attaque de jets d'eau. Dans mon gymnase, les Pokémon s'affrontent comme des athlètes, en utilisant leur technique dans un combat singulier, c'est-à-dire que chacun n'affronte qu'un adversaire à la fois.

Un peu inquiet, Ash lance un regard à Pikachu. La Ligue Orange est vraiment différente.

Ash tente d'avoir l'air sûr de lui.

— Squirtle! Je te choisis!

Il lance une Poké Ball et un petit Pokémon qui ressemble à une tortue apparaît. Squirtle a l'air solide et prêt à se battre.

— *Squirtle*, chuchote-t-il, ce combat ne ressemble à rien de ce qu'on connaît. Je compte sur toi.

— Squirtle, réplique le Pokémon d'eau.

— J'espère que ton Squirtle est bon perdant! ricane Cissy en se tournant vers Seadra. Jet d'eau, maintenant!

Seadra saute dans les airs en crachant un puissant jet d'eau par son museau. *Bing! Bang! Ping! Pong!* Vite comme l'éclair, Seadra vise et renverse toutes les boîtes de conserve.

Tracey commence à dessiner comme un fou.

— Impressionnant! murmure-t-il, admiratif.

— Je ne sais pas si Squirtle peut réussir aussi bien, murmure Misty.

Ash n'a aucune hésitation.

— OK, Squirtle. Prêt? Tire! ordonne Ash.

Squirtle saute dans les airs et crache un jet d'eau après l'autre. *Bing! Boum! Boum! Badaboum!* Toutes les boîtes de conserve sont renversées!

— Parfait! s'exclame Ash, joyeusement.

— Pas mal, grogne Cissy. Les cibles mouvantes, maintenant.

— Les voici! s'écrie son frère. Il appuie
sur d'autres boutons de la télécommande.

Zing! Un disque vole au-dessus de la tête
de Ash.

— Tire! commande Cissy. Seadra s'élance
dans les airs et laisse échapper une puissante
colonne d'eau de sa bouche en forme de
tuyau. Elle frappe le disque en plein centre.
La cible explose en mille morceaux.

— Triple! hurle Cissy. Trois autres disques
volent dans les airs. Seadra crache trois jets
d'eau rapides vers les cibles. *Bang! Bang!
Bang!* Les trois disques sont instantanément
pulvérisés.

— Wow... dit Ash, stupéfié. Bon, Squirtle,
fais de ton mieux!

Un disque vole dans les airs. *Bang!* Squirtle
suit la cadence.

— Bon boulot! le félicite Ash. Maintenant les
trois disques.

Bang! Bang! Bang! Squirtle est déchaîné!

— Et maintenant, un concours de vitesse,
annonce Cissy. Le premier Pokémon à toucher
le disque gagne.

Un grand silence se fait dans le gymnase.
Tout le monde regarde le plafond et attend
que le disque soit lancé. Tracey regarde dans

ses jumelles, prêt à annoncer qui est
le vainqueur.

— Allez! s'écrie le garçon. Un disque
traverse le gymnase. Seadra et Squirtle
sautent tous les deux hors de l'eau. Les deux
visent la cible en lançant un jet d'eau
puissant. Le disque explose avec un grand
fracas. Impossible de déterminer lequel des
Pokémon a atteint la cible le premier. Tout le
monde se tourne vers Tracey.

— Ils ont atteint la cible en même temps,
annonce-t-il. C'est un match nul!

— Dans ce cas, déclare Cissy, le résultat
dépendra du surf.

Ash regarde Cissy, en espérant qu'elle va donner une explication. Mais elle est déjà sortie du gym et se dirige vers la plage.

— Le surf? s'interroge Ash.

Il ne sait pas à quoi s'attendre. Il trouve que c'est le combat le plus difficile de sa vie!

3

L'étoile œil-de-corail

— Qu'est-ce que c'est, l'épreuve du surf?
demande Ash. Il est debout sur la plage et
regarde vers l'océan.

— Les Pokémon doivent nager jusqu'au
drapeau, là-bas, et revenir, explique Cissy.

Ash plisse les yeux pour voir le drapeau
au loin.

— Le premier à revenir gagne! termine
Cissy, très sûre d'elle.

— Ça va être facile! se vante Ash.

— Blastoise! Je te choisis. Cissy fait sortir
l'énorme Pokémon de sa balle. Blastoise, qui
est une forme évoluée de Squirtle et de

Wartortle, ressemble à une tortue géante.
Deux canons à eau sortent de sa carapace.

— Je sais comment battre Blastoise,
chuchote Ash à Tracey. Lapras! Je te choisis!
s'écrie-t-il.

Dans un tourbillon de brouillard blanc,
Lapras jaillit de sa Poké Ball. Il a l'air gentil et
doux à côté de Blastoise, mais Ash sait qu'il
est un excellent nageur.

— Passons à l'action! ordonne Cissy.

Son frère pointe le pistolet de départ vers le
ciel. Très tendu, Ash se tient aux côtés de
Lapras, prêt à commander chacun de ses
mouvements. Blastoise, solide comme un roc,
attend le coup de pistolet.

Soudain, un sous-marin en forme de
Magikarp apparaît à la surface de l'eau. Sur le
dessus du sous-marin se tiennent une fille et
un garçon de même qu'un Pokémon qui
ressemble à un chat.

C'est Jessie, James et Meowth, un trio de
voleurs de Pokémon connu sous le nom de
Team Rocket.

— Préparez-vous à des ennuis tropicaux!
s'écrie Jessie, la fille aux cheveux rouges.

— Des tas d'ennuis qui arrivent par la voie
des eaux! ajoute James.

— Pour préserver le monde de la dévastation...

Ash et Misty hochent la tête. Ils en ont assez d'entendre le credo de Team Rocket, qu'ils trouvent moche.

— C'est chaque fois la même chose, soupire Ash.

— Ce sont des amis à vous? demande Cissy.

— Pas du tout! rétorque Misty.

— Nous voulons ce Pikachu, et nous le voulons maintenant! s'écrie Jessie.

— Vous n'aurez jamais mon Pikachu! réplique Ash.

— Vas-y, Weezing! s'exclame James en lançant une Poké Ball dans le ciel. Un Pokémon entouré de fumée en sort. Un brouillard noir emplit l'air, et Ash a du mal à respirer. Tout le monde essaie de reprendre son souffle.

— Lance le filet! ordonne Jessie. Soudain, un immense filet tombe à quelques pas de Ash. Il plonge pour protéger Pikachu, mais le filet n'est pas tombé sur son Pokémon. Il a plutôt atterri sur Blastoise. Team Rocket saute dans son sous-marin.

— Blastoise! hurle Ash.

Le sous-marin tire Blastoise jusque dans l'eau. Ash regarde Cissy qui observe la scène calmement.

— Il faut sauver Blastoise! s'écrie Ash.

— Blastoise n'a pas besoin de notre aide pour venir à bout de ces trois zigotos, déclare-t-elle d'une vois assurée.

Ash regarde vers la mer. Blastoise a plongé sous l'eau, tiré par le poids du sous-marin. Il a disparu.

Ash, Misty, Tracey et Pikachu regardent fixement l'eau, l'air hébété. Ils espèrent voir réapparaître le gros Pokémon. Mais rien.

— Es-tu certaine que nous ne devrions pas tenter de faire quelque chose? demande Misty.

— Absolument certaine, répond Cissy. Au même instant, l'eau explose et Blastoise en jaillit : il tire le sous-marin et Team Rocket avec lui. Le filet se déchire comme s'il était en papier. Blastoise est libre!

— On dirait que tu avais raison! s'exclame Ash.

— Je te l'avais bien dit! dit Cissy en riant.

— Pauvre eux, ils n'apprendront jamais, dit Ash en hochant la tête. Pikachu, vas-y!

Pikachu s'élance vers le bord de l'eau. Il tourne le dos à l'océan et trempe sa queue en forme d'éclair dans l'eau. *Biiiizz!* Le courant électrique court sur la surface de l'eau et illumine Team Rocket comme un arbre de Noël! Puis Blastoise leur sert quelques bons coups de canon. Les jets propulsent l'équipe électrisée dans les nuages, si haut qu'elle disparaît.

— On dirait que Team Rocket a encore une fois rejoint la stratosphère! se réjouit Misty.

Cissy reprend un air sérieux.

— Bon, notre course, maintenant! lance-t-elle d'un ton impatient.

— D'accord! approuve Ash. Lapras, vas-y et fais de ton mieux!

Cissy monte sur le dos de Blastoise.

— Alors, Ash, tu montes sur ton Pokémon?

— Dessus?

Cissy sourit.

— Mais oui, c'est l'entraîneur qui fait du surf sur son Pokémon. Si tu tombes, tu perds.

Ash la regarde, incrédule. Debout sur son Pokémon? Il n'avait pas réalisé qu'il était censé chevaucher Lapras.

Ash prend une profonde inspiration et monte sur le dos du gros Pokémon.

Bang! C'est le pistolet de départ.

Ash manque de perdre l'équilibre, mais il réussit à se remettre d'aplomb.

— Essaie d'aller vers l'intérieur, Lapras! lui crie Ash. Il sait que le couloir intérieur est la meilleure position dans une course. S'il réussit à l'atteindre, il va arriver plus vite à la bouée.

Ash entend Cissy crier : « Ne leur laisse aucune chance, Blastoise! » Soudain, Lapras est ébranlé par un coup que lui donne Blastoise.

— Essaie encore d'aller vers l'intérieur! répète Ash à son Pokémon. Cette fois, Lapras fonce sur Blastoise.

— Tu as de l'audace, mon petit bonhomme! Mais nous sommes les plus forts! hurle Cissy pour couvrir le bruit des vagues. Écrase-les, Blastoise!

Le Pokémon se rue sur Lapras avec rage. La force de l'impact déstabilise Ash et le fait voler dans les airs.

— Ash tombe! s'écrie Misty.

Mais Lapras étire son long cou et rattrape Ash juste à temps.

— Bien attrapé, Lapras! le félicite Ash.

Cissy et son Pokémon font le tour de la bouée. Ash doit les rattraper avant qu'ils n'aient pris trop d'avance. Lapras et lui contournent la bouée à leur tour et accélèrent pour rejoindre Cissy.

— Tu es meilleur que je croyais! s'écrie-t-elle.

— Toi aussi, réplique Ash. Ils sont nez à nez.

— Attention! Le cri de Misty retentit et arrive jusqu'à eux.

— Cissy! hurle son petit frère, pris de panique.

Cissy et Ash se retournent et voient une énorme vague se former derrière eux. Ash sait qu'elle s'écrasera sur eux dans quelques secondes. Il se prépare à l'impact.

Puis, Lapras se retourne pour faire face à l'énorme vague. Il ouvre la bouche et crache une sphère lumineuse et brillante. La sphère frappe la vague qui s'immobilise instantanément. Ash est sauvé!

— Faisceau glacial! Bon travail, Lapras, le complimente Ash.

Mais l'eau derrière Cissy n'a pas gelé suffisamment vite. La vague s'abat sur elle et son Pokémon qui sont projetés dans les airs.

— Ciiiissyyy! Son jeune frère est terrifié.

Blastoise retombe dans l'eau quelques secondes avant Cissy. Sa large carapace émerge de l'eau juste à temps pour que Cissy retombe dessus.

— Tu m'as sauvé la vie, Blastoise! s'exclame-t-elle. Blastoise n'a pas abandonné la course. Il rejoint Lapras et se dirige vers la plage.

— On se revoit à la ligne d'arrivée! se moque Cissy en dépassant Ash.

— Tu m'as donné une idée, Lapras, dit Ash à son Pokémon. Dirige un faisceau glacial vers la plage!

Lapras ouvre la bouche et crache une autre sphère dorée, vers la plage cette fois. Un sentier glacé se forme sur l'eau.

— Et maintenant, grimpe sur la glace, Lapras! ordonne Ash.

Lapras saute sur la glace. Il décolle à une vitesse stupéfiante. Sur la glace, il va dix fois plus vite que dans l'eau. Ash et Lapras se rapprochent de plus en plus de Cissy. Finalement, ils la dépassent! Toujours en glissant à une vitesse démente, ils traversent la ligne d'arrivée et ne ralentissent qu'en s'échouant sur la plage!

Pikachu saute dans les bras de Ash.

— Je pense que nous avons gagné, dit Ash
d'un ton fier.

Cissy saute en bas de Blastoise.

— Excellente course, Ash, le félicite-t-elle.
Bonne idée d'utiliser le faisceau glacial de
Lapras.

— Ouais, approuve son petit frère, c'était
vraiment cool.

— Je pense que tu vas très bien réussir
dans la Ligue Orange, ajoute Cissy en lui
souriant.

Ash est heureux. Il rayonne.

Cissy tend à Ash un morceau de corail rose au milieu duquel est incrusté un saphir bleu.

— Voici l'étoile Œil-de-corail du gymnase de Mikan, dit Cissy. C'est la preuve que tu as gagné l'épreuve.

— On dirait un coquillage, fait remarquer Ash.

— Tous les écussons de la Ligue Orange sont des coquillages, explique Cissy.

Cissy remet l'écusson à Ash qui lance un grand cri de joie. Triomphant, il s'écrie : « J'ai gagné l'étoile Œil-de-corail! »

4

Haut, haut, le gymnase!

— J'ai l'impression de naviguer depuis des jours! grogne Ash. Il aime bien chevaucher Lapras, mais il a hâte à son prochain combat.

— Nous devrions voir apparaître l'île de Navel d'une minute à l'autre, dit Tracey en scrutant l'horizon.

— *Pika!* Pikachu sautille sur place. Puis il montre quelque chose du doigt. Au loin, partiellement recouverte de nuages, une montagne semblable à un volcan se dresse au milieu de l'océan.

— Et voilà! s'exclame Tracey. L'île de Navel, où l'on peut obtenir l'étoile Rubis-des-mers.

— L'étoile Rubis-des-mers, répète Ash d'un ton rêveur. Il la sent déjà dans sa main. Allez, plus vite, Lapras!

Ils atteignent bientôt la plage. Ash aperçoit un petit village au loin.

— Allons voir s'il y a quelqu'un là-bas, dit-il.

Ils marchent sur la plage. Soudain, une voix qui semble venir de nulle part retentit.

— Gageons que vous êtes à la recherche d'un combat en gymnase!

Ash se retourne d'un bloc. Un jeune homme athlétique de grande taille est là, sur la plage. Il leur sourit.

— Euh... ouais, répond Ash.

— Eh bien, vous êtes au bon endroit! Heureux de faire votre connaissance. Je m'appelle Dan.

— Salut, je m'appelle Ash, répond Ash. Il serre la main de Dan. Et voici mes amis : Pikachu, Tracey et Misty.

— Misty? répète Dan lorsque Ash fait les présentations.

— C'est ça, répond-elle, plus timide qu'à l'habitude.

— C'est un très joli nom, la complimente Dan.

Misty rougit un peu.

— Peux-tu nous emmener jusqu'au gymnase? demande Ash, impatient.

— Avec plaisir, répond Dan. Suivez-moi.

— Qui c'est? demande Tracey tandis qu'ils suivent Dan sur un long sentier de pierres.

— Je n'en ai aucune idée, dit Ash en haussant les épaules. J'imagine qu'il est ici pour lancer un défi au chef de gym, lui aussi.

Ils marchent pendant un bon moment. Puis Ash aperçoit un énorme mur de pierre. Il semble avoir été construit directement au pied de l'immense montagne qu'ils ont vue plus tôt.

— Qu'est-ce que c'est? demande Ash en pointant le mur.

— C'est l'entrée du gymnase, explique Dan.

Ils entrent par deux imposantes portes d'acier. De l'autre côté du mur, Ash est droit devant la montagne. Il n'en a jamais vu d'aussi grosses ni d'aussi abruptes.

— Je ne comprends pas, murmure-t-il. Où est le gym?

Misty pointe du doigt un téléphérique qui mène jusqu'au sommet de la montagne.

— Il faut prendre le téléphérique jusqu'au sommet. Peut-être que le gym est là-haut.

Tracey est en train de lire un panneau qui dit : BIENVENUE, ENTRAÎNEURS DE POKÉMON. Puis il arrête de lire et regarde Ash d'un drôle d'air.

— Quoi? demande Ash qui commence à s'énerver.

Tracey continue à lire. « Toute personne qui souhaite lancer un défi au chef du gym de Navel doit d'abord grimper au sommet de la montagne. Les entraîneurs doivent grimper sans aide extérieure. Tout entraîneur qui utilise un de ses Pokémon sera disqualifié. »

Ash fronce les sourcils en tentant de saisir ce que Tracey vient de lire.

— Il faut que j'escalade? demande-t-il, incrédule.

Lentement, il tourne son regard vers le sommet de la montagne. Un long et étroit sentier zigzague de plus en plus haut jusqu'à la cime. Du moins, c'est ce qu'il croit. Parce que, en fait, la cime est tellement haute qu'elle disparaît dans les nuages!

— Ça dit aussi, continue Tracey, que les personnes qui ne sont pas ici pour lancer un défi devraient prendre le téléphérique.

— Ouf! soupire Misty, soulagée.

— Si je comprends bien, dit Ash, la gorge serrée, il faut que j'escalade la montagne... tout seul.

— Pas complètement seul, intervient Dan, je grimpe, moi aussi!

5

Dans les nuages

Ash regarde vers le sommet de la montagne.
Il lui semble impossible d'escalader une pente
aussi raide, surtout sans l'aide de ses
Pokémon.

— *Pika pi!* Pikachu s'accroche à son épaule,
et le regarde d'un air totalement confiant.

— Tu as raison, Pikachu, je peux y arriver.
Je peux réussir si j'essaie, répond Ash.

— Bonne chance, Ash! lui crie Tracey qui
est déjà dans le téléphérique. Misty et lui
montent vers le sommet.

— Sois prudent, Dan, s'écrie Misty.

— Hé! Moi je ne compte pas? interroge Ash.

— Sois prudent, toi aussi, dit Misty.

Dan commence à escalader la montagne. Ash inspire profondément et le suit.

— *Pika pi!* Pikachu monte devant lui et lui lance des encouragements. Il grimpe et grimpe. Puis la montagne devient si abrupte que Ash se tient à la paroi, avançant centimètre par centimètre. Il fait la gaffe de regarder en bas, et soudainement, il est pris d'étourdissements. Quelle chute il pourrait faire! Déjà, des nuages l'entourent.

Ash ferme les yeux et prend une profonde inspiration. Un pas à la fois, se dit-il en s'étirant pour agripper une autre petite roche.

Mais cette roche n'est pas suffisamment solide pour le soutenir. Soudain, Ash se sent tomber à la renverse!

— À l'aide! Des bras et des jambes, il cherche désespérément à se rattraper. Ses mains finissent par s'accrocher à une corniche rocheuse. Il s'y cramponne de toutes ses forces.

Ash réussit à sortir une Poké Ball.

— Bulbasaur! dit-il d'une voix étouffée, utilise ta liane...

— Ash! intervient Dan qui se trouve plus haut. Ne fais pas ça!

Ash réalise alors que s'il utilise son Pokémon, il sera disqualifié.

Il réunit chaque parcelle de force de son corps et, lentement, il se hisse jusque sur la corniche. Puis il recommence à escalader petit à petit la montagne pour rejoindre Pikachu, qui l'a attendu. Pikachu et lui finissent par rattraper Dan. Ils s'arrêtent sur une saillie assez grande pour tous les trois. Ash est à bout de souffle, épuisé et soulagé.

— Merci, Dan, dit-il, sans toi, j'aurais été disqualifié.

— Il n'y a pas de quoi, répond Dan d'un ton joyeux. Il ajoute : « Es-tu prêt à terminer l'escalade? »

Ash hoche la tête et les trois compagnons reprennent le chemin du sommet.

Les pentes raides font place à une montée moins escarpée, mais maintenant il y a de la neige partout. Un vent froid et mordant fouette la peau de Ash. Il tente de se protéger le visage avec son col.

— *Pika... pika... aaaaa...*

Ash se retourne vivement. Pikachu est tombé face première dans la neige.

— Pikachu! s'écrie Ash. Comment a-t-il pu laisser son Pokémon se fatiguer autant? Est-ce que ça va?

Pikachu le regarde, trop gelé pour parler. Sans hésiter, Ash enlève sa veste et enveloppe son Pokémon dedans.

— Cela devrait t'aider, le rassure Ash. Ne t'inquiète pas. Je vais te serrer contre moi, et tu vas te réchauffer. Ce n'est pas une vulgaire montagne qui aura raison de nous!

— *Pika.* Il regarde Ash, les yeux remplis d'admiration.

Tout à coup, Ash cesse de s'apitoyer sur son sort. Il réalise qu'il a le devoir d'arriver sans encombre jusqu'en haut de la montagne. Il prend Pikachu dans ses bras et, d'un pas vif, dépasse Dan : il est rempli d'une toute nouvelle détermination.

— Ash! Il entend la voix de Tracey avant de l'apercevoir.

— Vous vous êtes bien débrouillés, les gars! Misty, emmitouflée dans une couverture rouge vif, leur envoie la main tandis qu'ils atteignent le sommet.

— Je vous avais bien dit que nous réussirions! déclare Ash comme s'il n'en avait jamais douté.

Il s'arrête pour regarder autour de lui. Il a l'impression d'être au sommet du monde. Le ciel est d'un bleu magnifique et l'air est frais et pur. Mais où est le gymnase?

— Félicitations, Ash! s'exclame Dan qui arrive derrière lui. C'était toute une épreuve, et tu as réussi!

— Quoi? J'ai réussi?

— Je le savais! dit Misty en gratifiant Dan d'un large sourire.

— Ouais, ajoute Tracey. C'est ce que j'ai pensé lorsque nous sommes arrivés en haut et qu'il n'y avait personne ici.

— De quoi parlez-vous? demande Ash en regardant ses amis d'un air perplexe.

— Dan n'est pas ici pour obtenir l'écusson, Ash, explique Misty. C'est lui le chef de gym!

Ash se retourne vivement et dévisage Dan. Dan sourit.

— C'est vrai! Je suis le chef de gym de l'île de Navel. Es-tu prêt pour notre confrontation?

Ash est stupéfait, mais il reprend vite ses esprits.

— Bien sûr que je suis prêt! N'est-ce pas, Pikachu?

— *Pika!*

— Parfait! s'exclame Dan. La compétition est divisée en trois manches. Si tu peux gagner deux manches, tu obtiendras l'étoile Rubis-des-mers.

Dan lui montre le superbe coquillage blanc au centre duquel se trouve une pierre rouge. À l'intérieur de la pierre rouge est incrustée une pierre précieuse semblable à une émeraude.

— Wow! C'est tout ce que Ash trouve à dire.

— Tout d'abord, annonce Dan, le geyser!

Il recule d'un pas. À cet endroit, la neige semble avoir fondu.

Soudain, deux immenses jets d'eau jaillissent. Ils montent très haut dans le ciel. Une vapeur chaude emplit l'air.

— Le premier à congeler son geyser gagne, explique Dan.

Ash doit penser vite. Comment peux-il faire congeler de l'eau bouillante? Va-t-il perdre cette épreuve avant même qu'elle ne commence?

charizard s'active

— Nidoqueen, je te choisis! s'écrie Dan. Il lance une Poké Ball vers le ciel. Un Pokémon qui semble très puissant apparaît. Son corps est recouvert de plaques bleues qui lui font comme une armure.

Ash regarde fixement Nidoqueen, et une idée lui vient. « Une attaque de glace? murmure-t-il. Lapras! Je te choisis! »

Lapras se tient à côté de Nidoqueen. Ash est certain qu'il est assez puissant pour gagner.

— Faisceau glacial! ordonnent Ash et Dan en même temps.

Les deux Pokémon crachent les sphères brillantes de leur faisceau glacial vers les

violents geysers. Les geysers commencent à se changer en cristaux de glace du bas jusqu'en haut.

Le faisceau de Nidoqueen se déplace rapidement vers le haut du geyser.

Le faisceau de Lapras est énergique, mais il se déplace plus lentement.

— Ne lâche pas, Lapras! l'encourage Ash. Tu peux y arriver!

— Nidoqueen, pleine puissance maintenant! ordonne Dan. Le faisceau de Nidoqueen accélère et atteint presque le sommet, tandis que celui de Lapras est à peine rendu à la moitié du geyser.

— Lapras! hurle Ash. Mais il est trop tard. Nidoqueen a déjà transformé son geyser en un bloc de glace.

— *Pika!* Pikachu est ébahi! Lapras termine enfin. Les deux geysers forment des colonnes de glace.

— On dirait bien que j'ai gagné la première manche! constate Dan.

— Bon travail, Lapras, dit Ash. Il sait que Lapras a fait de son mieux.

Avec précaution, Dan et son Pokémon couchent les colonnes de glace sur le sol.

— Dans la deuxième manche, explique Dan, il faut sculpter la glace. Le premier qui réussit à sculpter un traîneau à partir de ce bloc de glace, avec l'aide de seulement trois Pokémon, gagne.

Ash regarde fixement les gros blocs de glace.

— Et puis, Ash, lui demande Dan, as-tu choisi tes trois Pokémon?

Ash étudie les blocs de glace.

— Oui, je sais lesquels choisir!

Misty le regarde, curieuse de connaître son choix.

— Pikachu!

Pikachu s'avance, heureux d'avoir été choisi.

— Bulbasaur!

Un Pokémon mi-Pokémon des champs et mi-Pokémon poison avec un bulbe sur le dos apparaît. Misty et Tracey retiennent leur souffle dans l'attente du troisième choix de Ash.

— Charizard! s'écrie-t-il. Le Pokémon de feu vient prendre sa place aux côtés de Pikachu et de Bulbasaur. Charizard ressemble à un gros dragon, et son caractère est aussi bouillant que son apparence.

— Pas Charizard! s'exclament en chœur Tracey et Misty.

— Oui, Charizard! répète Ash fièrement. Avec son lance-flammes, il pourra facilement sculpter la glace.

— Oui, mais il ne fait jamais ce que tu lui demandes! lui rappelle Misty.

Ash ne l'écoute pas. Il est certain que, cette fois, Charizard va l'écouter.

— Moi, je choisis Machoke, Scyther et Nidoqueen, annonce Dan.

— *Pika!*

— *Bulba!* Les petits Pokémon de Ash jettent des coups d'œil nerveux à leurs gros adversaires.

Charizard bâille.

— Au travail! s'écrie Dan. La deuxième manche commence.

Pikachu et Bulbasaur se mettent immédiatement au travail. Pikachu lance décharges électriques sur décharges électriques vers la glace, la taillant petit à petit. Bulbasaur, de son côté, projette ses lianes sur le bloc de glace et en fait voler quelques morceaux à la fois. Charizard est étendu par terre. Il bâille encore et ignore les autres participants.

— Allez, Charizard! l'encourage Ash. Je ne pourrai pas gagner sans toi!

Le traîneau de Dan commence à prendre forme. Machoke sculpte la glace avec de vigoureux coups de karaté. Scyther se sert de ses griffes acérées comme des scies et découpe de belles grandes tranches. Nidoqueen façonne la glace en tapant dessus de toutes ses forces.

— Charizard! Pour une fois, le supplie Ash en tirant la queue du dragon géant pour qu'il se joigne à l'action. Charizard renâcle, une petite flamme lui sort du nez. Il bâille à nouveau.

Misty se tient la tête à deux mains.

— Ce Pokémon n'écoute jamais!

Le bloc de glace de Dan ressemble de plus en plus à un traîneau. Pikachu et Bulbasaur travaillent fiévreusement, mais ils ne sont pas

assez rapides. Ash tire et tire sur la queue
de Charizard, mais celui-ci refuse toujours
de bouger. Il lance un regard ennuyé à Ash
et ferme les yeux. Puis, sans même se mettre
debout, Charizard tourne la tête en direction
du bloc de glace et crache trois puissants jets
de feu.

Pikachu et Bulbasaur sont projetés dans
la neige par la force des flammes lancées par
Charizard. Tout le monde reste bouche bée.
C'est incroyable : le bloc de glace informe de
Ash a été transformé en un superbe traîneau!

— Super, Charizard! dit Ash en sautant de joie. Tu as réussi!

Incrédules, Tracey et Misty s'exclament : « Beau travail! »

— Eh bien, je ne sais pas exactement comment tu as fait ça, dit Dan, mais tu as gagné la deuxième manche, Ash!

— Hourra! s'écrie Ash. Pikachu... Bulbasaur... Charizard... Merci beaucoup!

Pikachu et Bulbasaur regardent Ash, tout joyeux. Charizard renâcle un coup et se rendort.

— La troisième manche consiste en une course de traîneaux, dit Dan. La première équipe à atteindre la plage gagne.

Dan les entraîne un peu plus loin. Ash plisse les yeux pour tenter d'apercevoir la plage. Ils se tiennent sur le bord d'un genre de ravin. Il s'agit d'une pente très longue et très à pic qui descend jusqu'à l'océan. Tout en bas, près de l'eau, flotte un drapeau rouge. Ash fait un signe de tête confiant à ses Pokémon.

— On va s'amuser! s'exclame Ash en s'assoyant dans le traîneau. Pikachu, Squirtle et Bulbasaur s'installent eux aussi.

— On se retrouve en bas! lui dit Tracey. Misty et lui courent jusqu'au téléphérique.

— Tu n'as qu'à te laisser glisser vers la victoire, Ash! plaisante Misty. Puis elle se tourne vers Dan. Bonne chance, Dan!

Ash lui lance un regard mauvais. Il a du mal à croire qu'elle souhaite bonne chance à son adversaire!

— À vos marques, annonce Dan, prêts, PARTEZ!

En quelques secondes, les deux traîneaux filent à toute allure.

— À droite... À gauche maintenant! commande Dan à ses Pokémon, qui conduisent le traîneau.

— À gauche... Je veux dire, à droite! hurle Ash. Bulbasaur utilise ses lianes en guise de gouvernail. Ils dévalent la montagne à une vitesse effarante, tellement vite, en fait, que tout devient flou.

Mais Dan réussit quand même à les dépasser. Bientôt, Ash ne le voit plus du tout. Il est si loin devant que Ash n'est même pas sûr qu'il pourra le rattraper.

Et puis, soudain, Dan et son traîneau réapparaissent. Il a eu un accident!

— Ça va? lui crie Ash, en réussissant à stopper son traîneau.

— Je crois, dit Dan, un peu ébranlé. Mais ce n'est pas un accident. Quelqu'un a saboté la piste.

Il montre du doigt le trou creusé en plein milieu du parcours.

Ash n'a même pas besoin de regarder le trou pour savoir qui a fait le coup.

— Team Rocket! lâche-t-il d'un ton furieux.

— T'as tout compris! miaule Meowth en sortant de derrière un banc de neige.

— Mais attendez de voir le vrai trou!

Jessie et James sortent à leur tour de leur cachette.

Meowth appuie sur un bouton de la télécommande qu'il tient dans sa patte.

Soudain, la neige s'effondre sous Ash, Dan et leurs Pokémon. Après une chute d'une dizaine de mètres, la bande atterrit dans la neige au fond d'une fosse.

— Je les déteste, grogne Ash en tentant de se relever. Avant même qu'il retrouve son aplomb, un bras de métal descend dans la fosse. Ses griffes agrippent Pikachu par derrière.

— Pikachu! s'exclame Ash en tentant de s'accrocher à son Pokémon. Mais il est trop tard! Pikachu s'envole hors du trou. La montgolfière géante de Team Rocket les survole. Le bras de métal remonte Pikachu jusque dans le ballon. Ash aperçoit Jessie qui se penche pour libérer Pikachu des griffes métalliques.

Il entend Jessie ricaner.

— On t'a eu! dit-elle. Mais il y a encore mieux : on a ton Pikachu!

7

Geodude à la rescousse!

— Tes amis sont charmants, dit Dan d'un
ton sarcastique. Il escalade la paroi du trou
derrière Ash qui utilise les lianes de
Bulbasaur pour grimper.

— Ce ne sont pas mes amis. Ils ne sont pas
charmants! réplique Ash.

Une fois sortis, ils observent le ciel. Le
ballon de Team Rocket s'éloigne de plus en
plus, avec Pikachu à son bord.

— Qu'est-ce que je vais faire? se lamente
Ash, désemparé.

Il se tourne vers Dan pour obtenir de l'aide.
Dan regarde le ballon en silence. Soudain, son
visage s'éclaire.

— Geodude! s'écrie Dan. Je te choisis!

Son Pokémon rocher apparaît. Geodude ressemble à un gros rocher rond muni de deux longs bras.

Dan fabrique déjà des boules de neige.

— Lance, Geodude! commande Dan.

Soudain, Ash comprend.

— Squirtle, Bulbasaur, s'écrie-t-il, faites des boules de neige!

En un clin d'œil, Geodude bombarde la montgolfière de dizaines de boules de neige.

Ses longs bras lancent boules de neige après boules de neige à une si grande vitesse qu'on dirait les ailes d'un moulin à vent. Geodude ne rate jamais sa cible! Ash peut voir le ballon

perdre de l'altitude tant la nacelle, maintenant remplie de neige, est lourde.

Puis Geodude lance une énorme boule qui s'écrase au milieu du ballon. La nacelle s'en trouve sens dessus dessous. Pikachu passe par-dessus bord. Ash court et l'attrape juste au moment où la montgolfière de Team Rocket explose. Ses occupants s'envolent comme trois petites fusées vers les cieux.

— Bien joué, Dan! dit Ash. Tu as eu une bonne idée! Merci!

Il serre Pikachu dans ses bras.

— *Pika!*

Pikachu sourit, heureux d'être revenu auprès de Ash.

— Ce n'est rien, répond Dan. Es-tu prêt à terminer la course?

— Tu n'as qu'à donner le signal! s'exclame Ash. Avec ses Pokémon, il rembarque dans son traîneau.

— Il faut que je gagne cette course pour avoir mon écusson!

— À vos marques... prêts... partez! s'écrie Dan.

Presque immédiatement, le parcours change. Ash regarde devant lui. La neige disparaît pour laisser la place à de la roche. Puis Ash voit Dan contourner de façon experte un gros rocher qui se dresse en plein milieu de la piste.

— Bulbasaur, hurle Ash, nous allons nous écraser sur ce rocher!

Avec ses lianes, Bulbasaur tente d'agripper quelque chose pour pousser leur traîneau dans une autre direction. Bulbasaur réussit à attraper le tronc d'un arbre et à pousser le traîneau un peu vers la gauche du rocher. Malheureusement, après ce changement de trajectoire, le traîneau quitte la piste et s'enfonce dans la forêt. Ils réussissent à zigzaguer entre les arbres et à éviter les branches, mais le traîneau glisse de plus en plus vite, hors de contrôle. Les quatre amis se font secouer violemment dans le traîneau qui rebondit sur les cailloux.

— Aaaaaaaahhhhhhh! hurle Ash.

Soudain, plus de cahots! C'est comme si le sol s'était dérobé sous eux. Ash ouvre les yeux

et regarde autour de lui. Le sol a vraiment disparu! La dernière bosse qu'ils ont heurtée les a propulsés dans les airs. Ils volent dans le ciel!

Sur la plage, Tracey et Misty observent Dan qui file vers la ligne d'arrivée, et Ash qui n'est même pas en vue. Puis, le traîneau volant apparaît sous leurs yeux.

— Qu'est-ce que je vois? s'écrie Misty, en pointant vers le ciel.

Ash survole Dan. Puis, le traîneau redescend vers la plage. Boum! Il atterrit juste devant son adversaire.

— Wow! s'exclame Tracey en dessinant
à grands traits le vol fantastique de Ash.

Ash passe la ligne d'arrivée et poursuit sa
course folle.

— Tenez-vous bien! s'écrie-t-il. Le traîneau
entre dans l'eau à toute vitesse.

— Il a gagné! bégaie Misty, incrédule.

— Il m'a battu, constate Dan, ébahi. Il
rejoint Ash, qui est assis dans l'eau, un peu
étourdi de sa descente.

— Ce n'était pas de la rigolade! s'exclame
Ash.

— Tu es excellent, Ash, le félicite Dan. Tu as
bien choisi tes Pokémon et tu as gagné deux
des trois manches.

Dan tend à Ash l'étoile Rubis-des-mers.

— Voilà pour toi, Ash.

Ash étire le bras pour prendre l'écusson. Il
le regarde pendant une seconde, puis sort de
l'eau d'un seul bond.

— J'ai réussi! J'ai gagné l'étoile Rubis-des-
mers!

— C'était super! ajoute Tracey.

— *Pika!* Pikachu saute dans les bras de Ash.

— Bonne chance pour le reste de votre
voyage, dit Dan lorsque la bande s'est calmée.
J'imagine que vous vous dirigerez maintenant
vers l'île de Trovita. Ce sera tout un défi.

Ash regarde son nouvel écusson.

— Peut-être, dit-il, mais après ce que je viens de vivre, je peux faire face à n'importe quoi!

8

La Seule et unique Prima

Ash et ses amis se dirigent vers l'île de Trovita, vers le prochain écusson de l'archipel Orange. Après quelques jours, ils décident de s'arrêter pour se reposer un peu.

— L'île des Mandarines n'a peut-être pas d'écusson à offrir, mais on y mange rudement bien, constate Ash entre deux énormes bouchées de sandwich. En plus, il y a plein d'entraîneurs qui sont prêts à faire un petit combat!

Comme d'habitude, Ash ne s'est pas reposé longtemps. Depuis son arrivée sur l'île, il s'est entraîné en se battant contre d'autres dresseurs de Pokémon. Et il a gagné tous ses combats! Ash se sent en pleine forme.

— Je me demande ce que fait Tracey, dit Misty. Bien installée à la table d'une terrasse, elle regarde la plage.

— Mmmmmm, répond Ash, la bouche pleine. Il avale avant d'ajouter : De toute façon, je veux seulement finir mon repas pour aller combattre d'autres entraîneurs!

— Je n'en doute pas, dit Misty en faisant de gros yeux.

— Rien ne peut m'arrêter! s'exclame-t-il.

Attention,
dresseurs de Pokémon!

Conférence sur les Pokémon
et démonstration de combat par
la seule et unique Prima!

— Hé, les copains! s'écrie Tracey en les rejoignant. Vous ne devinerez jamais qui est en ville!

Il leur tend une publicité.

Misty écarquille les yeux.

— Prima! Elle est ici? Je suis sa plus grande admiratrice! Elle est non seulement une des meilleures dresseuses, mais elle aussi, elle utilise des Pokémon d'eau!

— Wow! s'exclame Ash. Allons-y! Je veux lui lancer un défi!

— Tu ne peux pas lancer un défi à Prima, dit Misty. C'est l'une des plus grandes dresseuses de Pokémon au monde.

— Quelqu'un parle de moi? Une voix douce et calme retentit derrière eux. Ils se retournent d'un bloc. Devant eux se dresse Prima en personne! Grande et élégante, elle les regarde gentiment.

— P-P-Prima, bégaie Misty.

— C'est vraiment vous? dit Tracey, qui ne trouve rien de mieux à dire.

Puis les amis commencent à la bombarder de questions.

— Est-ce que je peux avoir votre autographe?

— Venez-vous ici chaque année?

— Comment est-ce que je pourrais mieux entraîner mes Pokémon?

Mais Prima ne semble pas les entendre.

Elle se dirige vers Togepi et le chatouille sous le menton. Puis, elle se tourne vers l'océan et ferme les yeux.

— Il fait un temps magnifique, n'est-ce pas? dit-elle. Ouvrez vos oreilles, écoutez le vent.

— Est-ce que vous nous écoutez? demande Ash, exaspéré. Un petit combat de Pokémon, ça vous dirait?

Misty le fusille du regard.

— Hé! dit Ash. J'ai gagné tous mes combats sur cette île. J'ai peut-être une chance! Alors? Vous voulez bien?

— Il n'y a rien comme le contact avec la nature, réplique Prima.

Ash s'éloigne vivement. Il va lui prouver qu'il est vraiment bon. Près de la terrasse du restaurant se trouve un entraîneur prêt au combat.

— Hé, l'ami! s'écrie Ash en montrant ses écussons, que dirais-tu d'un combat de Pokémon?

— D'accord, répond le garçon interpellé. Deux Pokémon chacun?

— Parfait! Squirtle, je te choisis!

Sur l'ordre de Ash, Squirtle sort de la Poké Ball.

— Vas-y, Persian! s'écrie le garçon. Tu peux commencer avec ton mignon petit Squirtle, ajoute-t-il en ricanant.

— Tu m'en diras des nouvelles, se vante Ash. Squirtle! Jet d'eau!

Squirtle lance un puissant jet d'eau vers le Persian. Mais le Pokémon félin est plus rapide et il l'évite.

— Persian! Coup de tonnerre!

Ash n'en croit pas ses oreilles. Un Persian qui lance des attaques électriques? Avant qu'il ne puisse réagir, Squirtle est terrassé par la force d'un choc électrique.

— Continue, Squirtle! Coup de tête!

Squirtle se remet sur ses pieds et fonce sur le Persian, qui tombe dans les pommes.

— Parfait! s'écrie Ash.

— Tauros! Je te choisis! L'autre entraîneur a déjà appelé un énorme Pokémon qui ressemble à un taureau. Il piaffe d'impatience.

— Plaquage! ordonne l'entraîneur.

Tauros charge Squirtle qui vole dans les airs pour ensuite s'écraser sur le sol. Cette fois, Squirtle ne se relève pas.

— Reviens, Squirtle! s'écrie Ash. Vas-y, Charizard!

Misty est au désespoir.

— Charizard, lance-flammes! Mais l'énorme Pokémon reste là à bâiller. Qu'est-ce que tu as? Va te battre, Charizard!

— Tauros, renversement! ordonne l'autre entraîneur.

Le Tauros fonce vers Charizard de toutes ses forces. Au moment où il va entrer en collision avec le Pokémon de feu, celui-ci crache un énorme jet de flammes dans lequel disparaît Tauros. Ça sent le bifteck grillé! Tauros est éliminé!

Ash saute dans les airs, tout heureux de sa victoire. Mais Charizard n'a pas fini. Il s'envole et commence à fondre sur les clients du restaurant. Il crache des flammes dans toutes les directions.

Misty se met à crier.

— Mais fais quelque chose, Ash! Charizard est complètement fou!

— Reviens! lui ordonne Ash, mais son Pokémon ne l'écoute pas. Tracey et Misty s'allongent sur le sol et se protègent la tête.

— Poké Ball, va! La voix de Prima domine le chaos. Soudain, Slowbro, un gros Pokémon rose, apparaît.

Ash n'en croit pas ses yeux. Comment un Pokémon aussi lent et aussi endormi que Slowbro pourrait-il venir à bout d'un Charizard déchaîné?

— Mise hors de combat! ordonne Prima. Slowbro lance un rayon de lumière sur le Pokémon cracheur de feu. Charizard s'immobilise immédiatement.

— Parfait, Slowbro, lui dit Prima d'un ton doux, maintenant, fais descendre Charizard.

Doucement, Slowbro ramène Charizard, complètement paralysé, vers le sol. Ash fait rentrer Charizard dans sa Poké Ball.

— J'étais certain de pouvoir le contrôler cette fois-ci, dit Ash, tout penaud.

— Un entraîneur de Pokémon ne sera jamais meilleur que ses Pokémon, dit Prima.

— Je sais ça! réplique Ash, sur la défensive.

— Vraiment? Je n'en suis pas si sûre, répond-elle. Lorsque tes Pokémon auront l'impression d'être importants à tes yeux, ils te seront fidèles. Mais si tu deviens trop fier, ils te désobéiront. Tu dois écouter ton cœur et créer des liens avec tes Pokémon.

Ash regarde Prima. Il a soudainement honte de lui.

— Un combat de Pokémon n'est pas seulement l'affaire de l'entraîneur.

— Mais j'ai gagné tous ces écussons, bredouille Ash. Ça veut quand même dire quelque chose!

— Ne traite pas tes Pokémon à la légère, Ash. Tes Pokémon ont livré de grands combats pour te permettre d'obtenir ces écussons. Ce sont des cadeaux qui montrent à quel point tu es important pour tes

Pokémon. Pour devenir un maître de Pokémon, il faut aussi perdre quelquefois.

— Je ne comprends pas, avoue Ash.

— Il faut que tu connaisses la douleur et la déception de la défaite, explique Prima. C'est facile de gagner, mais lorsque tu perds, tu dois faire appel à tes vraies forces, c'est-à-dire les personnes et les Pokémon que tu aimes et qui t'aiment en retour. Si tu veux combattre dans la Ligue Orange, tu dois te rapprocher de tes Pokémon. Ça ne se résume pas à combattre côte à côte. Avec le temps, tu en apprendras presque autant sur tes Pokémon que sur toi-même.

Ash garde la tête baissée. Il sait que Prima a raison.

— Tu dois maintenant poursuivre tes aventures, dit Prima.

Ash acquiesce.

— Et n'oublie pas, ajoute-t-elle d'une voix douce, tu dois profiter de tout ce qui t'arrive pour apprendre.

Ash reste silencieux un long moment après avoir quitté Prima. Il est assis, sans dire un mot, près de ses amis sur le dos de Lapras. Il a déjà parcouru la moitié du chemin pour atteindre son but : combattre dans la Ligue Orange. Mais après avoir rencontré Prima, il a soudain l'impression qu'il n'est qu'un débutant.

Il doit réfléchir beaucoup. Mais une chose est déjà toute réfléchie : il veut toujours gagner le trophée de la Ligue Orange, mais maintenant, il veut le gagner pour ses Pokémon!

Un cri le tire de ses pensées profondes. Il sort de sa rêverie et réalise pour la première fois qu'il s'approche d'une île.

— À l'aide! Il entend à nouveau le cri.

— D'où cela vient-il? demande-t-il, tout excité.

— De là! s'écrie Misty.

Elle pointe vers les eaux bouillonnantes qui entourent les formations rocheuses tout près de l'île. Une petite fille est prise dans un remous qui tourbillonne entre les rochers. Elle s'accroche à un Seel tout blanc et ne semble pas être capable de se maintenir à flot bien longtemps encore!

9

Electabuzz attaque

— Staryu! Vas-y! Misty saute dans l'eau.
Son Pokémon en forme d'étoile l'entraîne
rapidement vers la petite fille. Ash et Tracey
agrippent fermement Lapras et suivent le plus
vite possible. Soudain, la petite fille disparaît
sous l'eau, et Misty la suit.

Ash balaie la surface des eaux du regard.
Rien. Tout à coup, trois têtes et la pointe
d'une étoile font surface : Misty, Staryu,
la petite fille et son Seel.

Lapras s'en approche pour que Ash et
Tracey puissent les tirer hors de l'eau.

— Tout le monde va bien? demande Ash.

— Je crois, répond Misty. Elle aide la petite fille à s'installer. Est-ce que ça va?

— Oui, dit la petite fille en lui souriant. Merci.

— Mahri! Un adolescent court vers le quai, suivi par un groupe de garçons plus jeunes. Mahri lui envoie la main.

— C'est mon frère, Rudy! explique Mahri tout excitée. Lapras accélère; il a hâte de ramener la petite fille en sécurité sur le rivage. Dès qu'elle met le pied à terre, elle se jette dans les bras de Rudy.

— Mahri! Tu m'as fait tellement peur! s'écrie son frère.

— Je suis désolée, s'excuse Mahri.

— Merci, merci, merci, dit Rudy à Misty. Je ne te le répéterai jamais assez.

Puis, il se penche pour lui baiser la main, et Misty rougit.

— Je suis heureuse que nous ayons été là, dit Misty.

— Et moi donc! Je m'appelle Rudy, et voici Mahri.

— Je m'appelle Misty, et eux, ce sont mes amis, Ash et Tracey, dit Misty en souriant.

— Eh bien, belle Misty et ses amis, permettez-moi de vous faire visiter l'île.

Ash ne comprend pas exactement à quoi veut en venir ce drôle de zig, mais une chose est sûre : il faut qu'il arrête d'être aussi gnangnan.

— Nous aimerions beaucoup cela, interrompt Ash, mais nous allons à l'île de Trovita. Je vais lancer un défi au chef de gym de cette île pour obtenir mon étoile Oursin.

Rudy sourit et déclare : « Vous êtes sur l'île de Trovita, et le chef de gym, c'est moi. »

Ash en reste bouche bée.

— Euh, oh, eh bien, dans ce cas, je te lance un défi!

Rudy hoche la tête.

— J'accepte.

Rudy se dirige vers un bateau à moteur accosté au quai et saute dedans.

— Suivez-moi! s'écrie-t-il.

Lapras suit le bateau à moteur le long du rivage. Bientôt, ils arrivent à un quai devant un édifice en pierres mauves; au-dessus de la porte est gravé le mot GYM.

— Alors? Allons-nous nous battre? dit Ash en entraînant Rudy et Misty dans le gymnase.

— Oui. Trois manches. Combat singulier, explique Rudy. Mais tout d'abord, j'aimerais vous montrer mes Pokémon.

— Où est-ce qu'il veut en venir? demande Ash à Tracey.

— Je n'en ai aucune idée, répond Tracey.

— De nos jours, on ne peut plus se borner à enseigner des attaques à nos Pokémon, explique Rudy en ouvrant les portes pour tout le monde. En effet, on peut améliorer leurs capacités en leur faisant faire une activité qui n'a aucun lien avec le combat.

Ash est complètement pétrifié par la scène incroyable dont il est témoin. Dans le gymnase, de la musique joue à tue-tête et des dizaines de Pokémon dansent! Un Electabuzz en survêtement danse le twist.

Un Hitmonchan qui porte une jupette d'entraînement fait des bonds. Un Exeggutor sautille sur place. Dans un coin, un groupe de Rattata répète une danse en ligne.

— Ils dansent? bredouille Misty.

— Nous enseignons la danse à tous les Pokémon. Cela améliore vraiment leurs mouvements, explique Rudy.

— Mais c'est génial! s'exclame Misty, en gratifiant Rudy d'un large sourire. TU ES génial!

— Bon, bon, interrompt Ash qui n'en peut plus. J'en ai assez vu. Si on commençait le combat?

Ash et Rudy se tiennent de chaque côté d'un terrain de jeu aménagé dans la partie plane d'une énorme formation rocheuse. Tout autour, des ravins donnent directement sur l'eau. Pour suivre le combat, les spectateurs doivent s'installer dans une montgolfière.

— Commençons par un combat de Pokémon électriques! annonce Rudy.

— Vas-y, Pikachu! Celui-ci fait un signe de tête confiant à Ash.

— J'ai hâte de voir tes Pokémon danser! s'écrie Misty, installée dans la montgolfière.

Rudy lui envoie la main. Ash regarde la scène, incrédule. Pour qui se prend-elle?

— Electabuzz! Je compte sur toi! s'écrie Rudy.

Electabuzz apparaît et fait une petite gigue pour se réchauffer.

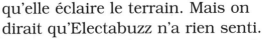

— Pikachu! Coup de tonnerre! Pikachu réunit ses forces et lance une décharge électrique si intense qu'elle éclaire le terrain. Mais on dirait qu'Electabuzz n'a rien senti.

— Les attaques électriques ne fonctionnent pas, constate Tracey, qui dessine la scène vue du ballon.

— C'est bon, Pikachu, nous allons utiliser des attaques normales, dit Ash. Attaque rapide! Maintenant!

Pikachu s'élance rapidement sur le terrain pour faire l'étalage de son agilité. Mais Electabuzz l'attend. Il se met vivement en travers de son chemin. Pikachu s'écrase sur Electabuzz et tombe à la renverse.

— Pikachu! s'exclame Ash, anxieux de voir son petit ami jaune se relever.

— Electabuzz! Frappe éclair! lui crie Rudy.

Pikachu n'a pas le temps de se remettre de la première attaque. Electabuzz lui donne un

coup violent qui l'envoie rouler jusqu'au bord du terrain.

— Pikachu! Ash se précipite vers Pikachu et le rattrape juste à temps.

— Cette manche est terminée! annonce Rudy. Electabuzz gagne.

Pour l'instant, Ash s'inquiète plutôt de son Pokémon.

— Ne t'en fais pas, Pikachu. Repose-toi. Ça va?

Avant que Pikachu ne réponde, Ash entend la voix de Misty.

— Formidable, Rudy!

Il regarde vers le ciel et voit Misty qui envoie la main à son adversaire. Elle sourit et applaudit comme si elle voulait le voir gagner!

10

Squirtle contre les Pokémon dansants

Ash tente de se concentrer sur le combat. Il n'a pas le temps de s'inquiéter de Misty pour l'instant. Il a un écusson à gagner!

— Bulbasaur! Je te choisis! dit-il d'un ton victorieux.

— Exeggutor, fais ce que tu as à faire, lance Rudy, confiant.

Un Pokémon à trois têtes apparaît sur le terrain. Exeggutor a un corps brun qui ressemble au tronc d'un palmier et trois têtes au milieu desquelles poussent de longues feuilles de palmier.

— Musique, s'il vous plaît!

La musique commence, et Exeggutor se met à danser sur tout le terrain. Il se balance d'avant en arrière et se rapproche de plus en plus de Bulbasaur.

Ash refuse de se laisser distraire.

— Bulbasaur! Feuilles coupantes!

Des lames vertes acérées volent dans les airs.

— Exeggutor! Attaque dansante! s'écrie Rudy.

Le Pokémon à trois têtes évite toutes les feuilles sans jamais s'arrêter de danser, comme s'il s'agissait d'un jeu!

— Encore, Bulbasaur! Feuilles coupantes! ordonne Ash à nouveau.

C'est inutile. Avec ses pas de danse, Exeggutor réussit à tout éviter.

— Coco bombe! ordonne Rudy.

Exeggutor s'arrête et lance un énorme œuf blanc en plein sur Bulbasaur. L'œuf s'écrase sur Bulbasaur et l'assomme presque.

— Allez, Bulbasaur! Ash tente de se concentrer. Il faut qu'il gagne cette manche.

— Poudre somnifère!

Le bulbe de Bulbasaur lance une brume blanche qui retombe sur Exeggutor. Le Pokémon commence à fermer ses six yeux. À moitié endormi, il continue à se balancer d'avant en arrière. Il traverse le terrain et se dirige vers la falaise. Exeggutor est sur le point de tomber dans le vide!

— Oh non! s'écrie Ash, qui ne veut pas gagner de cette façon.

— Bulbasaur, utilise tes lianes!

Bulbasaur intervient juste à temps. Le Pokémon des champs lance ses lianes sur le bord de la falaise. Il rattrape Exeggutor du premier coup et le remonte sur le terrain. Ash entend Rudy soupirer de soulagement.

— J'apprécie que tu aies aidé mon Pokémon, dit Rudy en rappelant Exeggutor dans sa Poké Ball. Mais je ne te ferai pas de cadeau pour autant. La partie est nulle, et c'est maintenant la manche décisive! Pour cette manche, nous utiliserons des Pokémon d'eau. Je dédie ma victoire à Misty et la remercie mille fois d'avoir sauvé ma sœur. Starmie! Sors de ta balle!

Ash regarde Misty. Elle sourit et envoie la main à Rudy.

On dirait qu'elle est de son côté! rage Ash.

Il doit se concentrer. Quel Pokémon utilisera-t-il? Il a presque oublié qu'il lui faut un Pokémon d'eau.

— Squirtle! Je te choisis! s'exclame-t-il. Squirtle jaillit de sa Poké Ball.

— Starmie! dit Rudy pour lancer le combat. Mets un terme à ce combat maintenant! Jet d'eau!

— Squirtle! Jet d'eau toi aussi! ordonne Ash.

Les deux Pokémon sautent dans les airs et s'envoient mutuellement de puissants jets d'eau.

— Ok, dit Rudy, danse maintenant!

Encore une fois, le Pokémon de Rudy évite les attaques en dansant de façon experte. Les jets de Squirtle sont inutiles. Ash ne sait pas quoi faire. Il a besoin d'aide.

Starmie se met à tourbillonner de plus en plus vite. Autour du Pokémon une lueur irradie. Il crée un intense champ électrique

— Ce Starmie peut utiliser des attaques électriques! s'exclame Tracey, abasourdi. Squirtle est faible contre les attaques électriques. Ça va mal!

Impuissant, Ash regarde
Starmie accumuler de
plus en plus d'énergie.
Il sait que Squirtle n'a
aucune défense.
L'étoile Oursin est
en train de lui glisser
entre les doigts. Ash
ne s'est jamais senti
si abattu au milieu
d'un combat.

— Ash!

Ce cri redonne de
l'énergie à Ash. Il regarde vers le ballon. Misty
est appuyée au bord de la nacelle.

— Qu'est-ce que tu fais? Reprends tes
esprits, Ash! hurle-t-elle.

Ash se sent tout à coup énergisé. Elle crie
après lui. Il devrait se fâcher, mais
étonnamment, cela le rend heureux.

— L'entraîneur est la seule personne qui
peut bien exploiter les points forts de ses
Pokémon! continue-t-elle.

— Je le sais! réplique Ash.

— Alors, fais quelque chose! conclut Misty.
Tu n'es pas à un spectacle de danse.

Ash se décide à agir.

— Squirtle! Vise le sol avec ton jet d'eau! s'écrie-t-il d'un ton tout à fait assuré. Il est prêt à gagner!

Squirtle lance un puissant jet d'eau vers le sol. Lorsque le jet frappe le sol, il catapulte Squirtle vers le ciel. Ainsi, Squirtle réussit à éviter le choc électrique de Starmie et à attaquer le Pokémon du haut des airs.

Mais Squirtle s'est catapulté trop loin. Il vole vers le bord de la falaise. Squirtle va faire une chute d'une centaine de mètres dans l'océan!

— Squirtle! s'écrie Ash.

Soudain, Squirtle rentre dans sa carapace et se met à tourbillonner. Il propulse de l'eau par les ouvertures de sa carapace. Il se met à tourner et à tourner sur lui-même comme une hélice.

— J'en crois pas mes yeux, murmure Misty. Squirtle vient tout juste d'apprendre à faire la pompe à eau!

Le Pokémon a appris une nouvelle attaque juste à temps pour sauver sa peau. La force de la pompe à eau ramène Squirtle au-dessus du terrain de combat.

— Parfait! s'écrie Ash. Pompe à eau!

— *Pika!* l'encourage Pikachu.

Starmie se tient au centre du terrain, prêt à l'attaque.

— Squirtle! Coup avec la tête!

Squirtle, gonflé à bloc, fonce sur Starmie et l'envoie voler dans les airs.

— Starmie! s'écrie Rudy. Starmie retombe au sol et s'évanouit.

Ainsi se termine le combat. Ash est le vainqueur!

— Beau travail, Ash!

— Ouais!

Il entend ses amis crier de joie au-dessus de lui. C'est une sensation formidable. Il soulève Squirtle à bout de bras, et saute sur place pour exprimer sa joie.

— Tu m'as vaincu, Ash.

Rudy semble étonné. Mais il lui tend la main.

— Voici ton étoile Oursin.

Ash regarde l'écusson qui est dans le creux de sa main. C'est un superbe écusson coquillage orné de plusieurs pointes qui luit d'un éclat doré. Il le prend et regarde vers le ballon. Il étire le bras vers le ciel pour que ses amis voient son écusson.

— J'ai gagné l'étoile Oursin! hurle-t-il, et il a l'impression de crier suffisamment fort pour que tout l'univers l'entende!

11

Les amis

— Peux-tu croire ça? répète Ash qui n'a pas arrêté de parler depuis le combat. Encore un seul écusson, et je pourrai participer au tournoi de la Ligue Orange!

Les amis s'installent sur le dos de Lapras et se préparent à continuer leur voyage en vue d'obtenir le quatrième écusson.

Misty soupire.

— Oui, Ash, je t'ai entendu les dix premières fois que tu l'as dit. Allons-y, dit-elle.

— J'ai été plutôt bon, n'est-ce pas? demande Ash tandis qu'il navigue sur l'océan.

— Oh oui, tu as été très bon, admet Misty. Mais on peut toujours s'améliorer.

— Je crois que cela m'aurait aidé si tu n'avais pas encouragé mon adversaire! lance Ash.

— Ash Ketchum! Je n'ai pas encouragé ton adversaire, proteste Misty. Je n'ai pas pu m'empêcher d'admirer sa façon inventive d'entraîner ses Pokémon. Elle s'interrompt pour admirer le superbe coucher de soleil.

À la grande surprise de Ash, elle ajoute :

— Je suis désolée, Ash. Dorénavant, je vais toujours t'encourager. Nous sommes des amis.

Ash sourit et regarde ailleurs.

— Bien sûr, dit-il d'un ton indifférent, mais dans le fond, il est très heureux. C'est fantastique d'avoir des amis sur lesquels on peut compter. Les mots de Lorelei lui reviennent à l'esprit : « On ne gagne jamais par notre seule force. On a toujours besoin de l'aide de ses amis. »

Ash regarde ses amis à la dérobée : Misty, Tracey, Pikachu, Togepi et Lapras. Il regarde les Poké Balls qui pendent à sa ceinture : Bulbasaur, Charizard, Squirtle et les autres.

Enfin, il regarde l'horizon. Le ciel s'est paré de magnifiques couleurs.

Il va réussir! Il en est absolument certain. Il va gagner le quatrième écusson et tenter sa chance au tournoi de la Ligue Orange. Pas

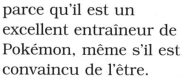

parce qu'il est un excellent entraîneur de Pokémon, même s'il est convaincu de l'être.

Non. Il va gagner parce qu'il a des amis. De bons amis, humains et Pokémon!